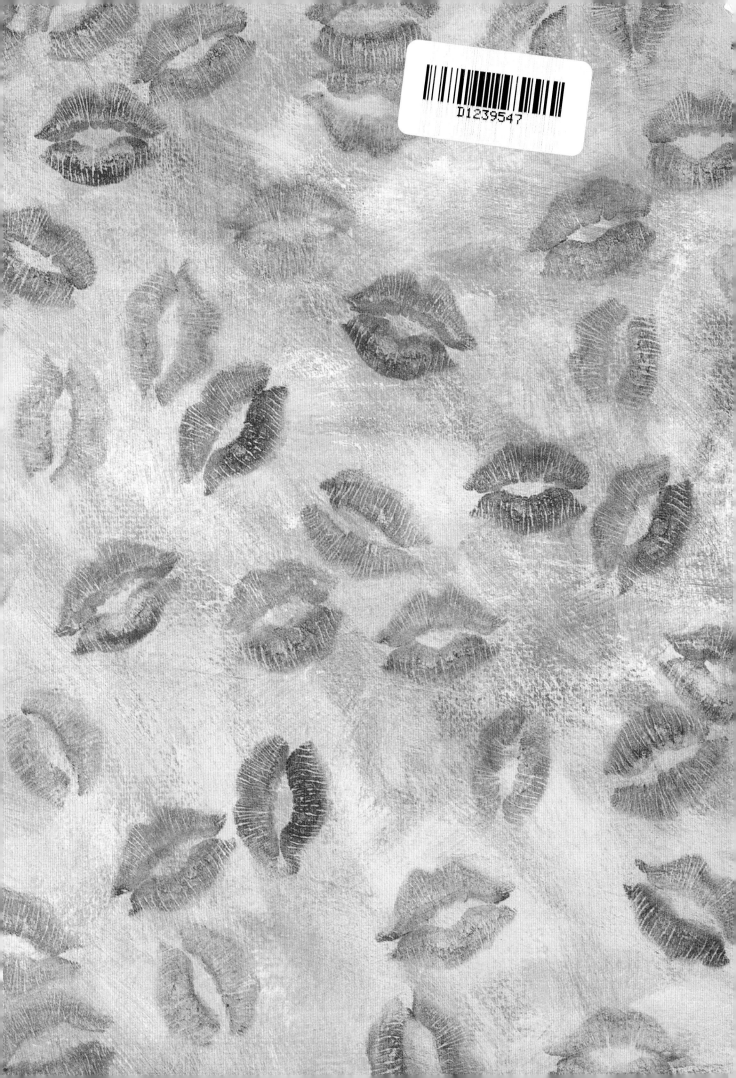

学会爱自己

献给凯文和萨拉!

学会自我保护·亲子共读绘本

文字／［德］佩特拉·敏特尔　绘图／［德］萨比娜·威默斯　翻译／刘敏

不要随便亲我

青岛出版社
QINGDAO PUBLISHING HOUSE
国家一级出版社
全国百佳图书出版单位

菜娜和她的爸爸妈妈一起住在城边的一座房子里，常常有客人来她家做客。菜娜并不喜欢那些客人，因为他们总是把她抱起来亲了又亲，亲得吧唧作响，把她的脸弄得又湿又黏。

星期一，奥尔加阿姨会来做客。说实话，莱娜觉得奥尔加阿姨的亲吻最可怕，因为奥尔加阿姨爱吃蒜，她的嘴巴里总有一股难闻的味道。

星期二，埃尔文叔叔会按时来莱娜家做客。他总是一进门就抱起莱娜，在她脸上使劲儿亲一口。每次被埃尔文叔叔亲吻，莱娜都觉得自己的脸像是被砂纸擦一样，因为埃尔文叔叔从来都不好好刮胡子，他的胡子茬儿十分扎人。

星期三，轮到佩尔兹奶奶来做客了。佩尔兹奶奶总喜欢围一条散发着樟脑丸味道的假狐狸皮围巾。莱娜有点儿怕那条围巾，因为那只"狐狸"的玻璃球眼珠子总是闪着诡异的光。可是，佩尔兹奶奶想要亲莱娜的时候，就会抱起她来，让她的脸紧紧贴着那只"狐狸"。

星期四，嘴里总是叼着一支雪茄的皮克叔叔会来到莱娜家。莱娜也不喜欢被皮克叔叔亲吻，因为他满身都是雪茄味儿，满嘴的牙都黄黄的、脏脏的。

星期五，准时出现在莱娜家的是爸爸的老板——胖胖的施马贝恩先生。因为妈妈说莱娜必须对他特别有礼貌、特别友好才行，所以莱娜只好勉强接受他的亲吻。

因为这些可怕的"亲吻"，夜里，莱娜常常做噩梦。"不能再这样下去了，得想个办法才行。"莱娜对自己说。

这个星期六是爸爸的生日，大家都来到莱娜家做客。

莱娜躲在自己的房间里，一直没出来迎接客人。妈妈在楼下喊："莱——娜——！快下来跟我们的客人打个招呼。"

"可爱的小莱娜去了哪里？"奥尔加阿姨接着问。

莱娜突然有了一个好主意："大象长得高大威猛，又有巨大的牙，大家恐怕不敢亲吻大象吧？"

这时，莱娜脸上突然长出了长长的鼻子，身体变得圆滚滚的，皮肤也变成了灰色——她变成了一头大象！

莱娜慢慢走下楼梯……

现在，没有人觉得莱娜可爱了，也没有
人再想把她抱起来亲一口了。总之，一切都
乱了套！

菜娜很开心地走到大家面前，说："大家好！我就是你们的菜娜！"所有人都愣住了，一时不知该如何是好。

菜娜说："以后，你们再也不要随便亲我了。要是你们不答应，我就让你们尝尝被大象亲吻是什么滋味！"

奥尔加阿姨说："可是，孩子，我们原本不知道你不喜欢我们亲吻你啊！既然你不喜欢，那我们以后再也不会随便拥抱你、亲吻你了！"

所有的大人都伸出两根手指，摆出"V"型手势，表示赞同奥尔加阿姨的话。

现在，菜娜又变成了菜娜，长鼻子消失了，尖尖长长的牙齿不见了，又有了光滑、粉嫩的皮肤。

　　从此以后，对那些自己不喜欢的事，莱娜能够勇敢地说"不"了。

　　当然，她自己最清楚她想要和谁"抱抱"和"亲亲"，非常清楚。

图书在版编目(CIP)数据

不要随便亲我 / 〔德〕敏特尔著；〔德〕威默斯绘；
刘敏译. —— 青岛：青岛出版社，2011.1
（学会爱自己）
ISBN 978-7-5436-6850-8

Ⅰ.①不… Ⅱ.①敏… ②威… ③刘… Ⅲ.①安全教育–儿童读物
Ⅳ.①X956–49

中国版本图书馆CIP数据核字（2010）第227598号

Petra Mönter/Sabine Wiemers, Küssen nicht erlaubt
illustrated by Sabine Wiemers
© 2004, 3rd edition KeRLE in der Verlag Herder GmbH,
Freiburg im Breisgau
德国海格立斯公司代理版权。
山东省版权局著作权合同登记号　图字：15-2010-145

书　　名	学会爱自己·不要随便亲我
文　　字	［德］佩特拉·敏特尔
绘　　图	［德］萨比娜·威默斯
翻　　译	刘　敏
出版发行	青岛出版社
社　　址	青岛市海尔路182号 (266061)
本社网址	http://www.qdpub.com
邮购电话	13335059110　0532-85814750（兼传真）0532-68068026
选题策划	谢　蔚　刘怀莲
责任编辑	刘怀莲
美术编辑	滕　乐
装帧设计	程　皓
制　　版	青岛艺鑫制版有限公司
印　　刷	青岛嘉宝印刷包装有限公司
出版日期	2011年1月第1版　2014年5月第18次印刷
开　　本	16开（889mm×1194mm）
印　　张	2
字　　数	40千
书　　号	ISBN 978-7-5436-6850-8
定　　价	12.00元

编校质量、盗版监督服务电话　4006532017 0532-68068670
青岛版图书售后如发现质量问题，请寄回青岛出版社出版印务部调换。
电话：0532-68068629

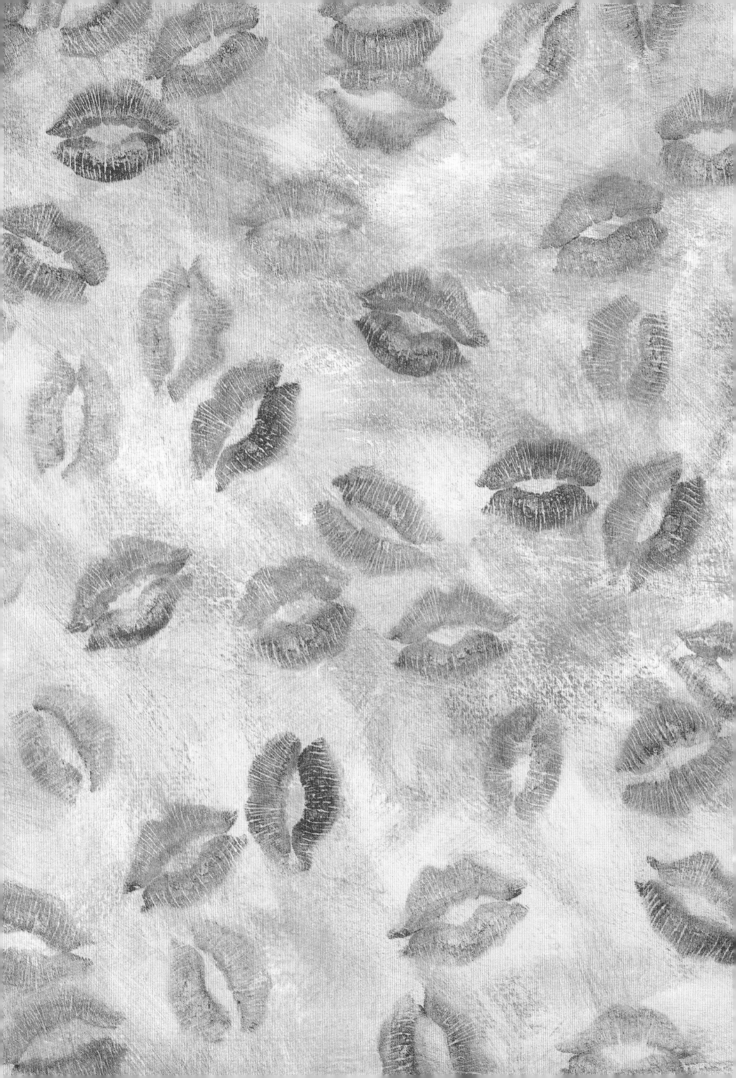